"讲故事魔女"段立欣

S0-ASY-299

❶ 猫耳朵胡同，甲乙家的老房子就在这里
❷ 花花园小区，住着甲乙、孙大伟和米妮妮
❸ 社区游乐场，这里是孩子们的天堂

④ 甲乙妈妈的小花店
⑤ 香喷喷面包房
⑥ 花花园小学，淘气包们的故事在这里上演

甲乙

男,7岁。短胳膊短腿圆脸蛋,聪明顽皮大脑袋。

特点:好奇心强,想象力丰富。

缺点:淘气,淘气,更淘气!

喜欢吃:炸油条和奶油蛋糕。

讨厌:夜晚独自在家。

理想:去"满地都是零食随便吃星球"探险!

调皮指数:大西瓜级!

孙大伟

男,7岁。瘦瘦高高小男生,是甲乙的跟屁虫。

特点:做事认真,有正义感。

缺点:胆小,爱哭鼻子。

喜欢吃:菠菜、芹菜等各种绿叶菜。

讨厌:不讲道理的人。

理想:长成勇敢的绿巨人!

调皮指数:橙子级!

米妮妮

女,6岁半。黑黑的头发,大大的眼睛,还有两颗小虎牙,甲乙的邻居兼同学。

特点:细心,可爱,懂礼貌。

缺点:有两颗虫子牙。

喜欢吃:巧克力和冰激凌。

讨厌:漂亮的裙子被弄脏。

理想:当演员,以后演白雪公主!

调皮指数:樱桃级!

甲乙，你真棒！
大饼猫大战机器猫

段立欣　著

JIA YI NI ZHEN BANG

图书在版编目(CIP)数据

大饼猫大战机器猫/段立欣著.
—天津:新蕾出版社,2014.1
(甲乙,你真棒!)
ISBN 978-7-5307-5840-3

Ⅰ.①大…
Ⅱ.①段…
Ⅲ.①儿童故事-作品集-中国-当代
Ⅳ.①I287.5

中国版本图书馆 CIP 数据核字(2013)第 214731 号

出版发行: 天津出版传媒集团
新蕾出版社
e-mail:newbuds@public.tpt.tj.cn
http://www.newbuds.cn
地　　址: 天津市和平区西康路 35 号(300051)
出 版 人: 马　梅
电　　话: 总编办 (022)23332422
发行部 (022)23332676　23332677
传　　真: (022)23332422
经　　销: 全国新华书店
印　　刷: 唐山天意印刷有限公司
开　　本: 880mm×1230mm　1/32
字　　数: 50 千字
印　　张: 4.5
版　　次: 2014 年 1 月第 1 版　2014 年 1 月第 1 次印刷
印　　数: 1-8 000
定　　价: 15.00 元

目 录

我的本领是变变变！

"甲乙，你真棒！"剧组闪亮登场

主角

大饼
甲乙

孙大伟

米妮妮

配角

陈可汗

美美老师

刁丽

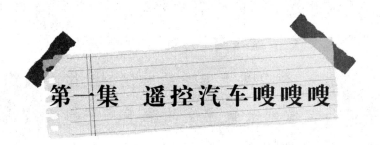

第一集　遥控汽车嗖嗖嗖

1

在花花园小学，谁都知道**一年(3)班**有个天天黏在一起的捣蛋二人组，但捣蛋二人组也有翻脸的时候。

"**不和你好了！**"今天一进教室，甲乙就瞪了孙大伟一眼。

孙大伟也给了甲乙一个大白眼："我也不和你好了！"

两个人谁都不服谁，头顶头地大叫起来：

"**再也不和你一起玩了。**"

刚进教室的同学们都好奇地看过去，奇怪，他们两个关系这么好，为什么会吵架呢？

原来，今天早上上学的时候，**捣蛋二人组**在校门口看到一辆漂亮的跑车。甲乙说："看哪，是一辆超帅的法拉利。"

孙大伟却摇摇头说："**不对不对，是保时捷。**"

要知道，最近学校里的男孩子们流行玩遥控小汽车，大家都以认识的车标多为荣呢。就这样，甲乙和孙大伟争来争去，一直吵到教室里。

"**哼，**你根本不懂车！而我以后是要做方程式赛车手的。"甲乙挥着自己的

粗胳膊，信誓旦旦地说。

孙大伟撇撇嘴："你才当不了**赛车手**呢！"

甲乙不服气，问孙大伟为什么这么说。孙大伟掰着手指头一点点地揭发他："你太胖，根本挤不进赛车。你爱睡懒觉，会耽误比赛的时间。你还分不清左右……"

孙大伟还没说完呢，同学们已经笑成一片了，甲乙觉得真没面子啊！

"**不许说了**！"他敲了孙大伟的头一下，孙大伟不服气，也推了甲乙一下。甲乙撞了孙大伟一下，孙大伟踢了甲乙一脚，两人互不相让。

一大早教室里就充斥着噪音，班长刁丽终于忍无可忍了，大声制止他们："捣蛋二人组，你们两个吵来吵去，多无聊啊！看我给你们告老师去！"

一听有人批评他们捣蛋二人组，甲乙和孙

大伟马上变成了一致对外的阵势。他们朝刁丽做着鬼脸，还大声喊着自创的顺口溜："讨厌鬼，告状鬼，多管闲事蛤蟆嘴！"

刁丽气死了，"噔噔噔"几步走出教室，真的去告老师了。

2

虽然对抗女生的时候，捣蛋二人组站到了

一起，但甲乙还在生孙大伟的气。他一节课都没撞孙大伟的胳膊肘儿，也没和孙大伟说一句悄悄话。

下课的时候，孙大伟从书包里拿出一辆遥控汽车，想用这个和甲乙和好，可倔强的小胖墩儿甲乙却把头转了过去。

"**看我的遥控车**。"孙大伟只能故意喊一声。这一喊没吸引到甲乙，倒是吸引了好多女生。她们围过来唧唧喳喳地议论着孙大伟的遥控汽车。

"天窗真好看，可以探出头去放风筝吧。"米妮妮说。

"车灯更漂亮，好像米奇的大眼睛。"刁丽也说。

孙大伟被女生们围得**水泄不通**，甲乙也想偷看一眼他带来的遥控车，可惜抻了半天脖子也没成功。

"有什么了不起的。"甲乙撇撇嘴,小声嘀咕着,"我也有遥控车,一会儿让你见识见识!"

虽然甲乙没有看到,但孙大伟还是忍不住向大家介绍说:"我这辆遥控车的引擎,可是现在市面上最先进的!"

"隐形了怎么还看得到呢?"
米妮妮好奇地问。

女生可真是外行啊,竟然把"引擎"听成了"隐形"!甲乙忍不住嘲笑起孙大伟来:"哈哈,和女生讨论车,还不如一起去玩芭比娃娃呢!孙大伟玩过家家喽!"

"你才玩娃娃呢!"孙大伟听甲乙这么说,连忙从女生堆里钻出来。

"**哼!**"他哼了一声,气呼呼地说,"甲乙,我再也不和你好了!"

真糟糕，这下两个人都生气了，你不理我，我也不理你。

3

第三节手工课，这节课的内容是：**制作纸飞机**。老师发了飞机模型的纸板材料，请大家自己动脑，拼插出一架飞机模型来。

不过甲乙可不想做什么纸模型，他举起手问道："老师，我可以在手工课上做**汽车模型**吗？"

7

老师一看，甲乙的桌子上堆了一堆遥控汽车的零件。难怪甲乙一早没有拿出自己的遥控车显摆呢，原来他的遥控车还没组装呢！

"你确定可以组装好它吗？"手工老师问。

甲乙充满信心地点点头。

老师又问："你确定不会弄伤自己的手？"

"我**保证不会**。"甲乙迫不及待地说着，已经把两个车轱辘组装好了。

"那好吧，做飞机模型和汽车模型同样都需要动手动脑。"老师点了点头，同意了甲乙的请求。

这下子，教室里可沸腾了。

陈可汗羡慕地说："早知道，我就带乐高机器人来了。"

李晨也期待地说："下次我要带夜光拼图，一千块儿的。"

米妮妮抬起头来问老师："我可以拿花花泥来捏吗？"

"这个嘛……"老师被问住了，看来他的手工课要变成玩具课，大家要叫他玩具老师了。

甲乙在同学们羡慕的目光中，很快就组装好了**遥控汽车**，老师还让他上讲台为大家表演了两圈急速飞车呢！

4

这回，甲乙和孙大伟打了个平手，两个人都因为遥控汽车出尽了风头。**只可惜**，捣蛋二人组的两位成员还是没有和好。你瞧瞧，他们下课都没一起去操场上踢足球呢！

其实孙大伟心里挺不好受的，他总想找机会和甲乙和好，甚至连和好的小纸条都写好了。甲乙呢，也觉得嗓子眼儿里像藏着毛毛虫似的难受,好想和孙大伟说话啊,可他又不知道该从哪句话说起。

就这样,一上午的校园生活就要过去了。

第四节课一上课孙大伟就想:不行,一定要在放学前和甲乙和好,否则同学们会笑话我们**捣蛋二人组**不团结的!

本来孙大伟想把纸条偷偷塞给甲乙。没想到,这节语文课没有讲新课文,也没有写课堂练习——班主任美美老师发给每个人一张语文小测试的卷子。

"老师想了解一下大家这半个学期的学习情况,同学们可要认真答题哟!"美美老师不生气的时候,说话的声音甜甜的。

测试可不是小事情,每个人都集中精力,拿起笔认真地答了起来。教室里传来了"**沙沙沙沙**"的声音。

美美老师在过道里来回走着，忽然，她看到孙大伟快速地把**一张纸条**放在了甲乙的桌子上。

作弊？这可不行！还没等甲乙伸手，美美老师已经把纸条抓在手里了。

孙大伟吓了一跳，甲乙也紧张地吐了吐舌头。见美美老师没批评他们，两个人连忙继续写卷子。

"考试竟然传纸条，**下课再找你们两个小捣蛋算账**。"美美老师心里想着，要知道，现在她可不能打扰别的同学答卷子。

下课铃声终于响了起来，大家把卷子一张张地传到讲台上，摆得整整齐齐，一张都不少。

美美老师抱着卷子，刚想叫甲乙和孙大伟

跟自己去办公室解释一下纸条的事时，却发现，捣蛋二人组早就跑出教室了！

"真拿他们没办法！"美美老师叹了口气，抱着卷子回了办公室。

5

办公室里，美美老师把那张没收的小纸条打开来。可是，这上面写的是什么意思啊？

"我说你，你生气。你说我，我生气。你怎么还生气？"这就是孙大伟写给甲乙的内容。

"简直是**印第安人的密语**啊！"美美老师和办公室里的其他老师研究了好半天，终于弄明白这张绕口令纸条说的是什么了。

原来，这是孙大伟的求和信，他的意思是：我说你，你不高兴生气了；你又说我，我也不高兴生气了。这样一来，咱们俩都互相"气"成了平手。那么，就该谁也不生谁的气了。

美美老师忍不住笑了："这两个小家伙，真是打打闹闹的好朋友啊！"

可不，这个时候，甲乙和孙大伟早就不生彼此的气了，他们要做心胸开阔的棒小伙儿！

此时操场的塑胶跑道上，捣蛋二人组的遥控车大赛正紧张地进行着。

"*加油！加油！*"好多同学放学不回家，

围在周围做拉拉队，害得学校门口接孩子的家长把马路都堵住了，再快的跑车也过不去。

听到操场上闹哄哄的，美美老师从办公室的窗户往外一看，立刻就知道下面是谁带头放学不回家了。

"甲乙、孙大伟！"美美老师大吼一声。这一吼，她的声音就不那么甜了。

"不好，被老师发现了！"孙大伟吐了吐舌头。

"下午接着比！"两个人拿起遥控车，嘻嘻哈哈地笑着，你推我一把，我踢你一脚，夹着书包跑出了学校。

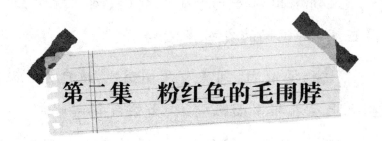

第二集　粉红色的毛围脖

1

大饼从衣柜后面滚出一团毛线团，推来推去当球玩。

妈妈看见了，开心地大叫着："**哇**，什么时候把这么大的一个毛线团弄丢了?粉红色的，真漂亮呀!"

妈妈真不讲理，明明是大饼先发现的毛线团，却被她"**抢**"走了。

还好大饼不生气，反正衣柜后面还藏着一

个小毛线团呢！

大饼滚出来另一个小毛线团，蹦呀跳呀，玩得正高兴，妈妈的尖叫声又响了。

"**哇**，还有啊，到底有几团呀？"她自己也趴在地上往衣柜下面瞅啊瞅，大饼气得喵喵叫。

"不过这样也够了。"妈妈站起来拍了拍裤子，自言自语地说。她没发现大饼正气得躺在地上打滚呢！

"甲乙，快来看呀，多漂亮的毛线，足够给你织一件漂亮的毛衣了。"

"太好了！是蓝色的新毛衣吗？"甲乙从电视机前跑过来看，结果一下子傻眼了。

妈妈拿着的是两团粉红色的毛线。这颜色，和米妮妮连衣裙的颜色一模一样。

"粉红色的毛衣怎么能给我呢？ 妈妈，你忘记了吧，**我可是男生。**"甲乙挽起袖子，亮出自

己粗壮的小胳膊。

"一年级的小朋友，穿鲜艳的颜色最好看了。"妈妈才不管那么多呢，她最喜欢漂亮的颜色了，就像她小花店里五颜六色的花一样。

2

看到妈妈拿着毛线团，去找毛衣针了，甲乙急得像热锅上的蚂蚁。

"妈妈，**您不民主，不听我的意见**！"甲乙上蹿下跳，差点儿踩到大饼的尾巴，大饼慌忙逃开了。甲乙还是追在妈妈屁股后面抗议："我不要穿，我不要穿妈妈织的毛衣！"

这时候，爸爸正好下班回来，一进门就听见甲乙的叫声。

"**发生什么大事了**？有人不喜欢穿新毛衣？"

甲乙像见了救星一样，冲过去抱着爸爸的腿求救："爸爸救命，妈妈要把我变成女生。"

"什么什么？你的妈妈，我的老婆会魔法？"爸爸假装惊讶地说，"我怎么不知道，她是个能把小男孩变成小女孩的巫婆？"

甲乙摇摇头："不是，是粉红色的毛衣，我可是男孩子，穿上不就成女孩子了嘛！"

这下爸爸乐了："粉红色很好啊，爸爸想穿，妈妈还不给织呢！"

见爸爸站到了妈妈那一边，甲乙又尖声叫了起来："不公平！你们

没有啊！

你听到有人在说话吗？

抗议

大人欺负小孩儿！"

爸爸和妈妈不知道甲乙真的生气了，他们捂着耳朵躲进客厅看电视去了。

3

天气真是个魔术师，夏天还没过多久，天气就一点点变冷了。星期天的早晨，一片干树叶被风吹进了窗子。

甲乙去关上窗户，对窗台上的大饼说："**大饼，你知道吗？这是秋天来了**。"大饼可不知道"秋天"是谁，它只知道自己刚才把干树叶当成了蝴蝶，跳起来抓呀抓，结果摔了一个大跟头！

这时候，甲乙的妈妈走了进来，她手里拿着的是织了一半的毛衣。

"甲乙，快来试试，大小合适，妈妈就接着织

了。"

"我不要被粉红怪物套住！"甲乙可不想穿上面还架着四根毛衣针的**半截毛衣**，于是他跑出了房间，在客厅里围着沙发和妈妈玩起了躲猫猫。

可惜没转几圈，甲乙就被长腿妈妈一下子抓住了。

"还想跑，**我可是超级老妈！**"妈妈说着把半截毛衣套在甲乙身上，边比量边说，"真合适，再有两天就可以织完了。"

"**不要穿**，我是男生！"甲乙趁妈妈没留意，一下子挣脱妈妈的手，又在屋子里跑了起来。

这一跑不要紧，和毛衣连在一起的毛线团从妈妈手里掉了下来。半截毛衣后面跟着没用完的毛线团，甲乙一跑，毛线团就像尾巴一样，也跟着他满屋子蹦跶。

　　看到有一个滚动着的毛线团，大饼这下可高兴了。它追着毛线团边跑边咬，从卧室拉到阳

台，从阳台拉到厨房……

甲乙跑，大饼扯。毛线越拉越长，甲乙身上穿的毛衣却越变越短。

等妈妈抓住甲乙的时候，半截毛衣只剩下粉红色的一条毛边了。

看着满屋子的**粉红毛线**，妈妈的脸变得像个瘪气球。她有气无力地一屁股坐在沙发上："完了完了，这些天的辛苦白费了！"

4

爸爸被家里的"**毛衣大战**"惊动了，他看了看在房间里生闷气的妈妈，又看了看甲乙和大饼，摇摇头说："一年级的男子汉甲乙，惹妈妈生气了！"

甲乙不好意思地低下头："不是我，是大饼，是它把毛衣拽散的。"

大饼也不好意思地"**喵喵**"叫了几声，好像在说："如果不是你逃跑，毛衣也不会散。"

　　爸爸拿起地上的毛线，边缠边说："甲乙啊，你知道妈妈为什么这么伤心吗？"

　　甲乙和大饼摇摇头。

　　"因为妈妈织的毛衣添加了爱进去，这是世界上最贴心的温暖牌毛衣。"

　　爸爸说着话，手中的毛线团已经缠到拳头那么大了："可你呢，却不喜欢。"

甲乙为难地说："可是，男生能穿粉红色衣服吗？我们班男生会笑话我的。"

"**怎么不能？**"爸爸进房间拿出自己的领带，"瞧，**红色**、**紫色**、**橘黄色**，爸爸身上的颜色不是也很鲜艳吗？只可惜没有**粉红色**的呀！"

甲乙想了想说："可这是戴在脖子上的，如果把粉红色戴在脖子上，那我也不怕！**我和大饼都不怕！**"

"真的吗？"爸爸想了想，"好，那我去和妈妈说，就把它戴在脖子上。"

5

甲乙帮爸爸一起把满地的毛线缠成了两个毛线团，看着圆溜溜的粉红色毛线团，妈妈的心情不那么糟糕了。

爸爸在妈妈耳边说了一句悄悄话后，妈妈的脸上更是洒满了阳光。

"原来是这样啊，那好吧，我不给甲乙织毛衣了！"妈妈拿起毛衣针重新开头说，"我决定给甲乙织一条毛茸茸的大围脖！"

"**好呀，好呀！**"甲乙连忙拍着手说，"妈妈织的温暖牌围脖我最喜欢！因为里面有满满的爱心！"

不过妈妈看看一大一小两个粉红色毛线团，有点儿为难地说："织围脖只需要一大团线，那这一小团线不就浪费了吗？"

甲乙歪着脑袋想主意："那我和妈妈学着织围脖，我也要织个温暖牌小围脖送给大饼，可以吗？"

大饼听了，开心地舔舔毛，已经准备好戴自己有生以来的第一条围脖了。

就这样，只用了两天时间，两条粉红色的毛围脖就织好了。

妈妈织的大围脖又厚又绒。

甲乙织的小围脖有很多小窟窿。不过没关系，爸爸说，都是温暖牌的围脖，一样暖和。

这下，甲乙和大饼一起出门时，就变成美丽秋天里一道靓丽的风景了。他们的脖子上都围着一样的粉红色毛围脖，露着被冻得一样红扑扑的小圆脸。在秋天的小风里，他们一点儿都不会觉得冷呢！

第三集 魅力二人组

1

今天**一年(3)班**下课时热闹极了,大家正围在一起唧唧喳喳地议论着什么。

原来是女生们前几天选出了"**美丽二人组**"——班长刁丽和超级可爱的米妮妮。

美丽二人组的名字被写在了教室后面黑板报上最显眼的地方。不仅如此,她们俩还被邀请参加学校的小话剧社呢!

看见刁丽和米妮妮花儿一般的笑脸,甲乙

和孙大伟羡慕死了。

　　小胖子甲乙像拎小鸡一样拽起小瘦子孙大伟，然后大声向同学们宣布："注意注意，甲乙和孙大伟从今天开始组成'**魅力二人组**'！"

　　"**没错**！"孙大伟也反应过来，"是魅力，不是美丽！"

　　甲乙和孙大伟这么一嚷嚷，一年(3)班就更热闹了。

　　"我怎么没觉得你们两个有魅力呀？"

　　"怎么刚选出美丽二人组，又冒出一个魅力二人组？"

　　"**不行不行**，你们的称号是**自封**的，不算数！"

......

各种反对声不断，教室里就像炸了锅一样。

2

这下可把甲乙和孙大伟气坏了，凭什么不许自己给自己封号啊！

"不行，我们一定要让大家知道，我们是充满魅力的！" 甲乙握了握拳头说。

下课后，他们俩一人抓住跳绳的一头，将跳绳拉开，满操场追着赶着抓同学。

很快，他们就围住了两个女生，用跳绳把她们"缠"了三圈，然后甲乙凶巴巴地问道："你们说我们有没有魅力？"

两个女生使劲尖叫，一个说："讨厌！我要给你们告老师，说你们威胁我们！"另一个也说："你们才不是魅力二人组，明明就是绑架二人组！"

"那你们怎么才能承认我们有魅力呢？"孙
大伟挠挠头问。

女生说："能引起别人的注意才算有魅力

31

呢！"

甲乙和孙大伟明白了，他们商量着接下来该怎么做。

回到教室后，甲乙把一个东西塞进袖子里，来到陈可汗的书桌前问他："陈可汗，你说我们可以叫魅力二人组吗？"

"**魅力？**你们哪里有魅力了？"陈可汗不屑地说。

"我们能吸引别人的注意啊！"甲乙说着忽然拿出一条滑溜溜的东西，一下子放在陈可汗的手里。

陈可汗吓得"**腾**"地从座位上弹起来，惊慌失措地扔掉手里的东西，大叫起来："蛇！蛇啊！"

同学们被他这么一喊，又惊又怕，可还是忍不住跑过来看热闹。

"看，**我们多吸引人哪！**"甲乙得意地捡起地上的"蛇"，原来那是一条橡胶玩具蛇。

陈可汗不高兴了："你们真是恶作剧二人组！我头一个不选你们做魅力二人组！"

"对，我们也不选！"同学们也都散了。

3

"唉！"课间操结束后，甲乙和孙大伟坐在楼梯上叹气，他们不知道怎么才能成为"魅力二人组"。

这时，美美老师走了过来："你们两个这是怎么了？因为淘气被哪位老师批评了？"

甲乙和孙大伟摇摇头，把同学们都不承认他们俩是"魅力二人组"的事跟美美老师说了。

"这样啊！"美美老师微笑着问，"那你们知道什么是**魅力**吗？"

甲乙摇摇头："我只是经常听大人们说起这个词，好像是夸奖别人的意思。"

"能吸引别人注意的人有魅力！"孙大伟把自己刚刚学到的，说给美美老师听。

"说对了一**丁点儿**！不过，吸引人可不是用恶作剧的方法，更不是强迫别人哟。"美美老师想了想，"这样吧，我告诉你们怎么来提升自己的魅力！"

美美老师在两个调皮蛋的耳边说了几句神秘的悄悄话，甲乙和孙大伟听完后，高兴地点了点头。

"原来是这样啊！"

"我们知道怎么做了！"

两个人高兴地跑回了教室。

4

第三节课一下课，同学们有的拿着皮筋，有的抱着足球刚准备去操场玩，甲乙忽然大喊一声："你们知道**非洲丛林里的狮子**是怎么争夺地盘的吗？"

还没等有人回答，甲乙就绘声绘色地讲起了自己昨天看的《动物世界》。大家一下子就被他的演讲吸引住了，都兴奋地瞪大眼睛，连后面的同学也凑过来一起听。

要知道，甲乙可是讲故事高手，他讲的故事可吸引人了。

"……雷克狮群安宁的生活并没过多久，就

有流浪狮子侵入了它们的地盘，因为狮王莫伦闻到了闯入者的味道……"

甲乙一边讲一边演，还做出狮子闻味儿的动作吸引大家。

米妮妮忍不住问："**莫伦**闻**到了**危险**的味道**吗？　"

"不不不！"甲乙一本正经地说，"这个味道嘛，很特别。流浪狮子不讲卫生不爱洗澡，是它们身上发出的臭味。"

大家都笑了起来，甲乙又接着讲："莫伦在地盘周围撒了一泡尿，它这是在警告对方退出它的领地。但流浪的狮子们才不怕呢，它们在黑夜的掩护下，侵入了莫伦的地盘……"

同学们听得入迷了。

因为甲乙讲的这些故事新鲜又有趣，所以一下子就吸引了不少听众，他们都觉得甲乙知识面广，懂的东西多。

甲乙兴致勃勃地讲完了狮子,孙大伟这边又大叫起来:"从电视上看的算什么,我去青蛙大学旅游的经历才有意思呢!"

"青蛙大学?快给我们讲讲!"班长刁丽来了兴致。

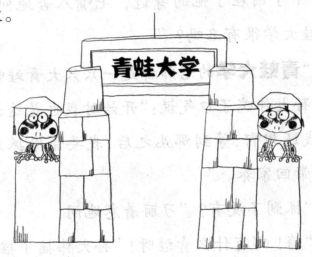

5

于是孙大伟摆好架势,讲了起来。

"去年夏天,我和妈妈去北京旅游,妈妈说带我去青蛙大学。"孙大伟神秘兮兮地说,"妈妈还说,我只要好好儿学习,以后就能考上这所全国最棒的青蛙大学!"

孙大伟这么一说,刚才听狮子故事的同学又一下子围在了他的身边,七嘴八舌地问道:"青蛙大学很有名吗?"

"**青蛙大学**的老师都是一只只大青蛙吗?"

孙大伟喘了口气说:"开始时我也是这么想的,我还想啊,等到那儿之后,我要偷偷抓几只青蛙带回家养。"

"抓到了没有?"刁丽着急地问。

"嗨!哪有什么青蛙呀!"孙大伟摇了摇头,"到了那个大学我才知道,是我把'清华大学'听成了'青蛙大学'!"

"**哄**"的一声,同学们都被逗乐了。原来是孙大伟的耳朵出了毛病啊!

"孙大伟,你可真搞笑。"米妮妮乐得肚子都疼了。

甲乙心里想："瞧，我们的魅力多大啊！"

孙大伟也在想："魅力这东西真厉害，宝贵的课间十分钟，大家都被吸引过来，都忘记出去玩了！"

6

一般一般，全国第三！

不仅是这节课，下午的课间，同学们也被甲乙和孙大伟吸引得不愿意出教室，因为甲乙和孙大伟又开始给大家表演魔术了！

甲乙的一根手指上裹着厚厚的一圈餐巾纸，手指被包得像个粽子——那纸是中午吃营养午餐的时候没用完的。孙大伟则拿着一支铅笔,配合他完成这个魔术。

甲乙说:"现在，我要让孙大伟的铅笔穿过我的手指！"

"哇！"所有女生都尖叫起来,"那不是很疼吗？"

"魔术师不怕疼！"孙大伟骄傲地拍拍甲乙的肩膀。

魔术师果然是魔术师，没有他们办不到的事。

"大家看好啦,我要穿了！"甲乙说着,真的在众目睽睽之下，将手指渐渐贴近孙大伟的铅笔尖。

那根铅笔削得真尖哪，铅笔头都快赶上锥子了!

同学们的心都揪了起来，眼睛瞪得又大又圆,生怕自己一眨眼错过了惊险刺激的瞬间。

突然，甲乙猛一用力，铅笔头扎进了餐巾纸

团上，又从包在手指上的餐巾

纸团上穿了过去，一整根铅笔

都穿过了手指！

"啊！啊！啊！疼死我了！

疼死我了！"甲乙龇牙咧嘴地喊

起来，甩着手指，像真的被刺痛一样。

孙大伟也急得大喊大叫："**救命呀，要出**

人命了！"

同学们都惊呆了，紧张得张着嘴说不出话

来，教室里除了他们两个哇哇乱叫的声音，突然

变得很安静。

7

就在同学们都紧张得出了一

头冷汗的时候，甲乙忽然把手指转

过去，得意地说："没事，魔术师的

41

手指还在！**安然无恙！**"

"**太棒了**！"教室里沸腾了，大家都被甲乙和孙大伟两个人配合表演的魔术震住了。

"怎么这么高兴啊？"这时候，美美老师走了进来，"是不是捣蛋二人组又在捣蛋了？"

"不是不是。"班长刁丽两只手一齐摆，"是魅力二人组在给我们表演精彩的魔术呢！"

美美老师歪着头，问道："哪里来的魅力二人组？从来没听说过！"

大家七嘴八舌地说道："是甲乙和孙大伟，他们的故事讲得可好了！"

"他们的魔术特别吸引人！"

"哦，这样啊！"美美老师说，"大家下课都不去操场上玩，看来甲乙和孙大伟真是魅力十足啊！"

全班同学一齐说道："那当然，他们是魅力二人组！"

听到同学们终于认可他们了，甲乙和孙大伟心里美得开了花！

美美老师说的果然没错，要展现自己的长处和本领，让别人主动欣赏自己，这样才能被称为有魅力！这下，他们两个是名副其实的"魅力二人组"了！

第四集　美丽的绿萝

1

一年(3)班有个捣蛋二人组,成员就是甲乙和孙大伟。这不,一下课,捣蛋二人组又在教室里**"大闹天宫"**了。

"大胆猴子,咱们较量一下!"甲乙挥舞着老师的教鞭冲向孙大伟。

孙大伟连忙举起水桶架住教鞭:"哼哼,我有无敌盾!"

"看我的七上八下九节鞭!"甲乙一扬手,教

鞭没抓稳，从他的手里飞了出去。

眼看着教鞭就要砸在自己脑袋上了，孙大伟连"盾牌"都来不及举，喊了声"哎呀，妈呀！"迅速跳到了一边。

教鞭虽然没砸到人，却径直飞向窗台，砸在了一盆绿萝上。

"啪嗒"一下，娇嫩的绿萝怎么能承受住教鞭飞来的力量啊，硬生生地被打断了几枝。

"**糟啦，闯祸啦！**"甲乙和孙大伟你看看我，我瞅瞅你，都傻眼了。

孙大伟担心地问甲乙："这可怎么办？"

甲乙捏起掉下来的几枝绿萝，也没了主意。

要知道，这可是美美老师特意放在教室里，用来吸甲醛的。

你别死啊！

老师说了，学校刚刚翻修不久，屋子里会有甲醛。甲醛是一种有毒的气体，要是同学们吸入很多甲醛的话，会对身体健康造成伤害的。所以美美老师周末在**花鸟市场**逛了好久，才买到了这盆长得最旺盛的"吸毒大王"——绿萝。

"甲乙，绿萝被咱们弄伤了，是不是就不能吸毒了？"孙大伟担心地问，"**咱们不会甲醛中毒吧**？"

"不会吧，只是断了几枝而已，其他的枝叶不是还好好儿的吗。"甲乙想了想，觉得孙大伟的担心有些多余。

可是班长刁丽也看到了他们闯的祸，她气呼呼地说："怎么不会！绿萝都让你们打断了，谁来替我们吸收**甲醛**哪！我们肯定会中毒的！"

"就是就是！都赖你们俩，害全班同学中毒！"听了刁丽的话，女生们一齐唧唧喳喳地吵起来。

"有什么了不起，怕中毒可以开窗子啊！"甲乙受不了大家的埋怨，跑过去打开窗子。

可窗子刚开了一条小缝，冷风就钻了进来，冻得甲乙打了个大喷嚏。

"冻死啦！冻死啦！" 全班同学一齐大喊。

可大家也只是喊喊而已，为了不中毒，他们不得不打开窗子，冷空气瞬间就占领了整个教室。

同学们哆哆嗦嗦地把外套、棉袄、羽绒服都穿在身上，还七嘴八舌地抱怨着："臭甲乙，坏大伟，害大家中毒不说，还害我们挨冻！"

"我们要是**感冒**了，就赖你们俩！"

"娇气死了，就开一会儿不会感冒的！"甲乙撇着嘴，一脸的不屑。

"美美老师好不容易才买到开得这么旺盛的绿萝，却被你们给折掉几枝，等她发现了一定饶不了你们！"刁丽见甲乙根本就不把他们当回事，就搬出美美老师来吓唬甲乙。

甲乙仔细一想，是呀，美美老师每天都会到窗前**静静地欣赏**一会儿绿萝，要是她知道心爱的绿萝突然夭折了，一定会很不开心的！

2

下课后，甲乙拿着**断掉的绿萝**比划来，比划去，为了不被美美老师发现，他正想着怎么把绿萝接起来。

"你以为你是外科医生呢？" 陈可汗摇摇头说。

"我们是魔术师，你管得着吗？"孙大伟抻着脖子说。

甲乙这时根本顾不上理陈可汗，他拿着绿萝绞尽脑汁地在想办法呢！

"孙大伟，把你的胶水借我用用。"甲乙想出了第一个办法。

孙大伟赶紧递上胶水，他现在是一点儿主意都没有，只能把希望寄托

打倒假冒魔术师！

在甲乙身上了。

甲乙接过胶水，仔细地涂在绿萝的断面上，然后把掉下来的一节摆在原来的位置，用手指死死按住。

"**慢点儿,慢点儿……**好,放手。"孙大伟在旁边当指挥。

甲乙大气都不敢出，小心翼翼地松开手……可是,绿萝还是毫不留情地掉了下来。

甲乙擦掉绿萝断面上的胶水，眼睛在教室里环视了一周。在看到米妮妮日记本上贴着的课程表时，他突然灵光一闪："有啦! 妮妮,能不能把你的透明胶借我用用?"

"**没问题!**"米妮妮痛快地拿出透明胶递给甲乙。

甲乙让孙大伟帮忙，把掉下来的绿萝跟原来的对整齐。自己则扯开透明胶,仔细地缠在绿萝上。

一层，两层，三层……甲乙和孙大伟
用心地把每一枝绿萝都用透明胶缠好。

经过"**修复**"的绿萝看上去还是怪怪的。不
过，不管怎么说，掉下来的枝叶总算连上了，这
下美美老师应该不会马上发现了吧。

甲乙和孙大伟围在花盆旁看了一会儿，确
信他们的"**吸毒★王**"已经"**修**"好了，这才松
了一口气。

3

从操场上做完操回来，孙大

伟就发现，被他和甲乙接上去的绿萝叶子软塌塌地垂下了头，连花盆里原本健康的绿萝都有点儿发蔫了。

"这，这可怎么办哪？"孙大伟有些慌了。

甲乙凑过来看了看，故作镇定地分析道："我觉得吧，这是黎明前的黑暗。咱们再观察一节课。"

"可是，下节是美美老师的课，要是被她发现了可怎么办？"孙大伟都快急死了，他特别担心美美老师会扣掉他的小红花。

捣蛋二人组还没想出更好的办法呢，上课铃就响了。美美老师拿着教案走进班级。一进门，就觉得有点儿不对劲。

"咦？大冷天的，你们怎么开着窗子啊？"美美老师奇怪地问。

"我们……呼吸新鲜空气。"孙大伟连忙举

起手说。

还好美美老师没有多问，也没有发现受伤的绿萝。

这节课，甲乙听得有点儿心不在焉。他不忍心让大家挨冻，可又不敢告诉美美老师实情，心里别提多难受了。

做课堂练习的时候，美美老师在教室过道里踱来踱去，发现同学们虽然穿得很厚，但还在忍不住发抖。

"为了呼吸新鲜空气也不能感冒啊！" 她心里想着，走到窗前，伸手去关窗子。

甲乙看到美美老师

走到窗前,吓得"**啊**"的一声大叫。

"甲乙,你怎么了?"美美老师回头纳闷儿地问。

甲乙双手捂着嘴,脸红红的,支支吾吾地摇摇头说:"**没,没什么。**"

没,没什么。

4

美美老师似乎并没有注意到无精打采的绿萝,甲乙又松了一口气。

可是自从窗户被美美老师关上以后,甲乙的脑子里却一直回想着美美老师给他们讲的甲醛的危害。

"吸入高浓度的甲醛，会引起水肿、眼睛刺痛和头痛。就算是少量的甲醛，长期吸入也会引起慢性中毒，严重的还会导致白血病，夺去人的生命呢……"

美美老师的话就像**环绕立体声**似的，在甲乙的耳边不停地回响。

渐渐地，他开始觉得浑身都不舒服，看老师和同学们的时候，也感觉他们的脸色慢慢变得苍白起来。他心想：没有了"**吸毒大王**"，同学们不会真的中毒了吧？

甲乙没心思做作业了，他探着脑袋，一会儿看看老师，一会儿看看同学。终于，他再也忍不住了，举起了手。

"**有什么问题吗？**"美美老师朝甲乙点了点头。

甲乙站起来,大声问道:"美美老师,您的头晕不晕?"

"**头晕?** 没有啊。"美美老师被他问糊涂了。

"我,我……"甲乙不希望大家因为他中毒。

他把心一横,鼓足勇气说道:"我下课玩的时候,不小心把绿萝打断了。开始我怕被您发现,所以用透明胶把绿萝接了起来。可是它受了伤就不能吸收甲醛了,一会儿大家都会中毒的。老师,您批评我吧!扣小红花也行,告家长也行!不过您一定得想想办法,千万别让大家中毒啊!"

听甲乙说了这么长的一段话,美美老师愣了愣。

"还有我,我也有错!是我和甲乙打着玩的,您也扣我的小红花吧。"孙大伟急得都快要哭出来了,"**您快想想办法吧,要不大家都该中毒了!**"

看着捣蛋二人组的样子，美美老师忍不住"扑哧"一声乐出声来："我说你们为什么把窗子都打开，放冷空气进来呢，原来是怕中毒啊！"

孙大伟擤了一下鼻涕，和甲乙一齐不好意思地点了点头。

5

"你们这两个捣蛋鬼啊！"美美老师不但没发火，反而笑着说："**放心吧**，老师不会扣你们的小红花，也不会告家长。犯了错误能主动承认，还是很棒的孩子！"

尽管这样，甲乙还是很难受。他担心地问："那，那绿萝怎么办？"

"这样就可以了！" 美美老师拿了一个玻璃杯，接了大半杯水，然后把断掉的那枝绿萝拿下来，插在了杯子里。

捣蛋二人组瞪大了眼睛，他们怎么都不敢相信，绿萝这样就可以活过来。

见全班同学都一脸疑惑的样子，美美老师耐心地跟大家解释说："**绿萝**是可以在水中生长的植物。"

"不用土就能生长啊？" 甲乙挠着他圆圆的大脑袋问。

美美老师点点头："没错，只需要把它的枝干插在盛了清水的杯子里，它就可以继续生长啦。不过要记得两到三天换一次水哟！这样，十多天后它就能长出根来了。"

"**太棒了！**"甲乙开心地捧起装绿萝的瓶子，"老师放心，我一定不会忘记给它换水！"

"**希望你说到做到哟！**"

"**放心吧**，最棒的捣蛋二人组说话算话！"

甲乙小心地把插着绿萝的玻璃杯端端正正地放在窗台上，然后小声地对绿萝说："**我们一定会好好儿照顾你**，希望你早点儿长出胡子根哟！"

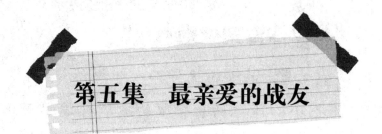

第五集　最亲爱的战友

1

冬天来了，冬天来得可真快啊！北方的孩子们都喜欢冬天，因为北方的冬天会下**厚厚的雪**，大家就可以尽情地玩打雪仗了。

连着下了两天鹅毛大雪后，甲乙和米妮妮竟然成了小区里势不两立的"**敌人**"！当然，只是在打雪仗的时候。

这不，**甲乙**和**米妮妮**都是大王，一个男大王，一个女大王，身后都跟着几个比他们还小的小屁孩儿。"**咯吱咯吱**"踩在厚厚的白雪上，两队人马就要展开一场雪球大战了！

米妮妮带着她的女孩兵团在雪地上画出一条线，男孩兵团和她们分别站在线的两边。

第一回合先比气势。在各自大王的带领下，男孩女孩两个兵团互相瞪眼睛。他们一个个把眼睛瞪得像铜铃一样大，直到眼睛都快瞪酸了,大王们才开口说话。

"我们必胜,米妮妮你就投降吧!"甲乙大王使劲瞪着眼睛。

别看米妮妮平时胆子不够大,可当上大王后就厉害了。她也瞪着眼睛说:"甲乙你还是撤退吧,我们女孩的雪球可是又圆又硬。"

"我们才不怕呢,我们是**雪球超人队**!"甲乙队的男孩小兵们都开始摩拳擦掌。

"好,那就**开战吧**!"米妮妮说着,带着自己

的女孩们向后退。

两个雪球大队各自退到五十步远的地方后，开始飞快地滚雪球，准备"弹药"。

第二回合的雪球战，**就要**开始了！

"你们不许戴手套！"米妮妮大王在左边阵营里大叫。

"那你们还围着围脖呢！"甲乙大王在右边阵营中高喊。

"我们是**勇敢的男子汉**，说不戴就不戴。"甲乙大王说着摘下手套，"用手直接包的雪球才结实呢！"甲乙身后的小兵们也都摘掉手套包起雪球来。

米妮妮那边也不示弱，男子汉又怎么样，女生也不比他们差！女孩兵团不仅摘掉了手套，还把围脖、帽子都摘了下来，交给昨天她们堆的一个大雪人保管。

甲乙大王边准备雪球边说："你们如果冻掉耳朵,就听不到我们的冲锋号了!"

"不会冻掉的,我们的耳朵都热得发烫呢!"米妮妮大王说。

看吧,**激烈的雪球大战就要开始了**。甲乙和米妮妮这两个好朋友,马上就要成为雪战中强有力的对手!

2

就在**男孩兵团**和**女孩兵团**准备雪球弹药的时候,又有一个雪仗队伍出现了。

他们都是些大孩子,穿着大大的黑靴子,面包一样的羽绒夹克,戴着毛耳朵大

帽子，走起路来威风凛凛！

"这片雪地是我们的了，小甲乙，小妮妮，不想挨雪球就快点儿离开。"

甲乙认识这个领头的大孩子，他是四年级的刘鹏飞。他仗着自己个子高，胳膊粗，总是欺负低年级的孩子。

"不离开，这里是我们先占领的！" 甲乙不服气地大声喊道，"我们不怕你，刘鹏飞，我们也有雪球！"

"竟敢和我顶嘴，打呀！"这个刘鹏飞真是霸道，还没给大家第一回合的准备时间，连眼睛都没瞪，就开始进攻了。

"刷刷刷"，雪球飞了过来。甲乙他们赶快把刚才准备好的"弹药"扔出去。

可大孩子包的雪球又大又硬，雪球飞起来又快又猛，打在身上真疼啊！

一会儿工夫，甲乙大王那边的"**小兵**"们就哭着喊着逃跑了。

刚才还准备和甲乙作战的米妮妮大王先是被吓傻了，等她决定让大家去甲乙那边帮忙的时候，才发现自己身后的"小兵"也不见了，连交给雪人保管的帽子、手套都不要了。

米妮妮

着急了，独自冲了过去。

女大王米妮妮虽然很害怕，可她还是冲到甲乙的阵地上："甲乙，我来向你投降了！"

我们是勇敢的王中王！

"**太好了**，我们两个大王一定能打败他们！"甲乙开心得手舞足蹈。

"甲乙大王，我来帮你准备'弹药'。"米妮妮开始给甲乙包雪球。要知道，米妮妮包雪球的速度可是花花园小区最快的，一般小孩儿都比不过她。

米妮妮包了一大捧雪球，和甲乙一起把雪球抱在怀里，向刘鹏飞的队伍冲去。

"**冲呀！**"他们边跑别扔，勇猛得像两头小狮子。

别看刘鹏飞的雪球团队都是大孩子，可他们只会躲在树后、墙角进攻对方。现在，他们被冲上来的甲乙和米妮妮吓住了，边战边退。

甲乙和米妮妮根本不管别人，只追着刘鹏飞一个人跑。他们觉得，只要把大王打败了，"小兵"自然就撤退了。

"哎哟！"刘鹏飞的鼻子被米妮妮的雪球打中了……

"妈呀！"刘鹏飞的嘴巴又被甲乙的雪球击中了……

"不和你们玩了，你们两个欺负我一个。"刘鹏飞吃了一嘴雪，"你们作弊，我们不打近距离战！"

甲乙才不管刘鹏飞说什么呢，打雪仗就是打雪仗，谁也没规定要怎么打呀！他径直跑到刘鹏飞身边，跳起来把一个雪球塞进了他羽绒服的领子里！

这下刘鹏飞服输了，哭着喊着往家跑去。

大孩子们见自己的大王都被吓跑了，这个雪仗大队也**稀里哗啦**地散了伙。

"看你们今后还敢不敢以大欺小！"甲乙用力扔出了最后一个雪球。

"看你们还敢不敢欺负女生！"米妮妮挥着她冻得通红的拳头说。

3

不用说，一年级的甲乙和米妮妮在和四年级的刘鹏飞的雪球大战中，取得了绝对胜利。刚才还是"敌人"的两个大王，在关键时刻成了朋友，他们一起努力，才战胜了更强大的"敌人"！

甲乙和米妮妮都冻得流着鼻涕，缩着脖子，发红的小手紧紧地牵在一起。

但大王终归要有大王的风范，他们从雪人那里拿回了自己的**帽子**、**围脖**和**手套**，又把别

的小伙伴的帽子手套，挨个儿送回了家。

对了，光顾着雪球大战，他们差点儿忘记今天是**立冬**了！两家的爸爸妈妈团聚在花花园的小花店里，为立冬准备了丰盛的晚餐。

甲乙问米妮妮："妮妮，你为什么要向我投降呢？"

"**这是个秘密**，你听好了。"米妮妮用自己冰凉的手，去捏甲乙的耳朵，"因为甲乙是米妮妮最好的同学和邻居。"

甲乙别提多得意了："我也告诉你一个大秘密，我爸爸说，立冬要吃饺子，否则会冻掉耳朵的！这个秘密我只告诉过孙大伟，还有你。"

"**谢谢甲乙**！"米妮妮开心地说，"我妈妈说，她要教我包饺子，等我学会了，一定包给你吃！"

"太好了！"甲乙钩着米妮妮的小手指，"**拉**

钩，一百年的好朋友。"

　　米妮妮和甲乙钩了钩手："冬天刚刚开始，明天、后天、大后天，我们还要继续打雪仗！我们女孩军团一定能赢！"

　　"那就看看谁的雪球又圆又硬吧！"

　　甲乙和米妮妮手拉手朝小花店跑去，白白的雪地上留下了四行小脚印。五彩缤纷的小花店窗子里冒出了热气，圆鼓鼓的胖饺子在等着他们呢！

第六集　大饼猫大战机器猫

1

马上就要过年了，屋子被妈妈收拾得干干净净。可是，大饼偏偏在这个时候犯了错误，妈妈气得嗓门儿都变尖了。

"大饼，你怎么可以尿在地上，**你你……**"妈妈满屋子找大饼，"大饼，你给我出来！"

甲乙带着大饼钻在爸爸妈妈的床底下，吓得就差把头缩进脖子了。

"**看，要挨打了吧**！妈妈生气时可吓人呢，像……嗯，像毒青椒一样可怕！"甲乙缩缩脖子说。

大饼还委屈呢，猫沙已经两天没人清理了，自己找不到尿尿的地方，实在忍不住了才尿在地上的。

不过妈妈也很委屈，快过年了，来小花店买花的人非常多，爸爸还在加班，家里的活儿又忙得她团团转，哪里还记得清理猫沙呀！

说来说去谁都不能怪，只能怪"年"。

可甲乙最喜欢过年了，因为每次过年自己都会得到一份大大的礼物。

妈妈正生气的时候，爸爸下班回来了。

妈妈先把爸爸领到卫生间，指着被大饼尿过的地面给他看，然后又拉着爸爸气呼呼地回到房间，两个人像电视剧里的坏人一样，站在门口小声地商量起事情来。

2

这些可都被藏在爸爸妈妈床底下的甲乙和大饼看到了，可惜他们听不见爸爸妈妈说的悄悄话。

"**大饼**，你说爸爸妈妈是在分零食吗？也许有杏仁巧克力呢！"甲乙舔舔嘴唇说。

大饼摇摇尾巴，意思大概是：爸爸妈妈才不爱吃零食呢！

"那，他们是要送我去寒假长笛班？"甲乙痛苦地嘟囔着。

大饼又摇摇尾巴，意思应该是：我没发现长笛！

"说不定是在商量送我们什么新年礼物呢，

你一份我一份，我们还可以换着玩！"甲乙这么一说，可把大饼高兴坏了。

要知道，它可是第一次过年！

大饼一高兴就往甲乙的胖肚皮上蹭，痒得甲乙"呵呵呵"乐出了声，这可把爸爸和妈妈吓了一跳。

"是谁？""谁在床底下？"爸爸妈妈蹲下来，掀起了床单。

两个小间谍就这样被爸爸妈妈从床底下抓

出来了。

3

大饼犯错误的事，很快就被**贴对联**、**挂灯笼**、**贴窗花**、**打扫屋子**等等过年的事情冲淡了。时间过得真快啊！一转眼就到了大年夜。

甲乙兴高采烈地穿上新衣服跑出房间，他也送给爸爸妈妈一份新年礼物，那是他从小到大最喜欢的一本图画书——**《穿靴子的猫》**。

送完自己的礼物后，甲乙看到爸爸妈妈果然准备了两份新年礼物，看来，自己和大饼真的可以换礼物玩了！

"小盒子是甲乙的，大盒子是大饼的。"爸爸拍了拍两个漂亮的礼品盒。

"爸爸真好！"甲乙抱着盒子舍不得拆开，"是什么呢？"

爸爸笑眯眯地说:"甲乙一定喜欢,这是一只可爱的机器猫。"

"太好了,是**哆啦A梦**里圆脑袋的那个机器猫吗?它可以从口袋里拿出很多东西吗?"甲乙边拆礼物盒子边问。

妈妈眨眨眼说:"不完全是,这是小脑袋机器猫,和普通小猫的脑袋一样小。"

"那有点儿不太好,我的大饼的脑袋就是**大大圆圆**的,那多漂亮啊!"

大饼听到表扬真高兴,用爪子认认真真地洗了一遍脸。

盒子拆开了,里面是一只机器小猫,方头方脑,

还有个遥控板。甲乙看看大饼，再看看机器猫，奇怪地想：怎么一点儿都不像呢？

见甲乙不那么兴奋，爸爸连忙来教甲乙怎么玩："瞧，按这个它就会走；按这个它会撒娇；按这个呢，它还会喵喵叫……"

"**哇，我来试试**。"甲乙很快学会了遥控这只机器猫。机器猫又跑又跳，要撞到椅子腿的时候，眼睛还会亮红灯呢！

"喜欢吗？"爸爸挠挠机器猫的下巴，"它的肚子里也会发出'咕噜噜'的声音呢！"

"喜欢喜欢！和大饼一样。"甲乙高兴地亲了爸爸一大口。

大饼也围着这个新朋友转圈，它友好地用大饼脸去蹭蹭也会喵喵叫的"同伴"，谁知道却把它蹭得四脚朝天，站不起来了。

爸爸和妈妈看到甲乙这么喜欢机器猫，满意地笑了。

4

玩了一会儿，甲乙又扔下四脚朝天的机器猫去看大饼的礼物了。

"大饼的礼物是什么，我来帮忙拆。"他说着就拆开了盒子，盒子里面是一个天蓝色的大笼子。

"大饼快来看，这是一个新的猫窝，到处都是窗户！"甲乙开心地招呼着。

大饼高兴地钻进笼子。闻闻这里闻闻那里，这个**新房子真宽敞呀**！

爸爸拿来机器猫说："甲乙，机器猫和大饼是一样的，对不对？"

甲乙想了想，又挠挠头说："一样，也不一样。"

"有什么不一样呢？"爸爸遥控着机器猫打了个滚。

"大饼可以抱着睡觉，可机器猫是凉凉的。"

"不凉不凉，它也可以发热，冬天

好多的窗户啊！

还可以当小暖炉呢！"爸爸找来了说明书。

"那也不一样，大饼肉肉的软软的，摸着好舒服。"

爸爸说："机器猫也会撒娇呀，它还会蹭你的手心，一样好舒服。"

妈妈**忍不住大声说**："机器猫不会到处掉毛，比臭大饼卫生！"

"大饼不臭，它会自己洗澡！"甲乙以为妈妈又要打大饼屁股了，连忙抱起大饼准备往床底下钻。

爸爸连忙拉住甲乙："甲乙别跑，妈妈不是说大饼不好，妈妈是说，机器猫比大饼好一点儿。"

甲乙撅着嘴巴说："不是这样的，是大饼比机器猫好一点儿，机器猫都不会吃东西。"

"不会吃东西不是很好吗，不吃就不会拉臭

臭了,对不对呀甲乙?"妈
妈怕甲乙逃跑,一下子变
得很温柔。

"**拉臭臭**怕什么。"甲
乙大声说,"妈妈不是也
拉臭臭吗?爸爸还放臭屁
呢!"

妈妈和爸爸没话说了,脸红得像两个大柿
子。

5

春节晚会开始了,甲乙和大饼一边看,一边
坐在天蓝色的大笼子前玩遥控机器猫。

爸爸看看妈妈,再看看甲乙、大饼和大笼
子,把准备说的话又咽下去了。

为了明年家里更卫生,他们本来是想用机

器猫把大饼换走的，他们连拿走大饼的笼子都准备好了，可现在……

"**机器猫难道不好吗?**"爸爸叹了口气，"我的新年奖金哪，浪费了!"

"看来以后还得每天清理猫臭臭了。"妈妈撇了撇嘴，看样子他们只能放弃计划了。

大饼跳到妈妈怀里，舔舔她的手心，撒娇地叫了一声。

今年的大年过得比往年都热闹，因为甲乙家从三口之家变成四口之家了。

大饼第一次看到新年的焰火，它以为满天都是亮光虫子呢，兴奋地在玻璃上抓呀抓。

吃完**大年夜的团圆饭**，甲乙一家四口照了张全家福，爸爸妈妈抱着甲乙，甲乙抱着大饼。

甲乙知道，大饼过的第一个新年一定很高

兴,因为它不但有了爸爸妈妈和甲乙,还得到了一份漂亮的新年礼物——有好多窗子的蓝色大房子!瞧它躺在新房子里满意的样子,小爪子舒服地放在肚皮上面,肚子里发出"**咕噜咕噜**"的声音,就差说"**春节快乐**"了!

跳呀,唱呀,吃呀,喝呀! 过年可真快乐!

唯一有点儿遗憾的是,春节晚会还没结束,

两个小胖子已经累得抱在一起，"呼噜呼噜"地睡着了。

"小动物果然是小孩子的好伙伴！"妈妈给甲乙和大饼盖好被子，小声说。

看着窗外绚丽的焰火，爸爸也感慨地说："过完新年，希望大一岁的甲乙能够更懂事，更快乐！"

"**快乐**……"睡梦中，小胖墩儿甲乙咂巴咂巴嘴，说着梦话，"大饼快乐，米妮妮快乐，孙大伟快乐，大家新年都快乐……"

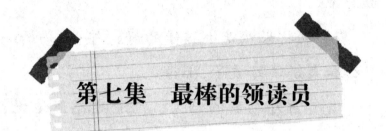

第七集　最棒的领读员

1

孙大伟发现甲乙有个怪毛病，他喜欢上美美老师的语文课，可是却顶顶讨厌读课文。每次读课文的时候，他要不就是发出怪声音，要不就是干张嘴不出声，就像哑剧演员一样。

"甲乙，我采访一下你，你为什么这么不喜欢读课文呢？"这天下课，孙大伟拿着文具盒，伸到甲乙嘴边问。

甲乙瞪着眼，叉着腰，表现出一派男子汉的

架势，说："读故事的不是女孩子就是妈妈，作为一个真正的男子汉，怎么能做这种女生才做的事呢？"

"可咱们读的是课文，又不是讲故事。"孙大伟还是不太理解甲乙的想法。

"**都一样，差不多！** 采访结束！"甲乙把手一挥，拿出一个巨无霸汉堡吃了起来。

又到了一节语文课，美美老师今天要带大家读的新课文是《**乌鸦喝水**》。

"一只乌鸦口渴了……"同学们都认真地念起来。

一句话还没读完，只听一声怪叫传来："**呱！呱！**"

美美老师不用猜就知道，一定又是甲乙在捣乱。

"**甲乙！**"她提高了声音，好

像要生气的样子。

"**我没捣乱**。"甲乙摆出一副委屈的样子，"乌鸦口渴了肯定着急，它一着急，当然得乱叫啦！我只是在帮乌鸦配个音呀！"

听甲乙这么一说，全班同学哄堂大笑！

美美老师气得眼睛瞪得像桂圆一样："**好吧，配音演员，下课请带着课本到我办公室来一趟**！"

2

下了课，甲乙拿着课本"啪嗒啪嗒"地跑到老师办公室，在门口探头探脑地说："报——告！"

"**请进**！"美美老师看起来还没消气，脸上布满了乌云。她指着课本说："甲乙同学，请把《乌鸦喝水》读三遍，读不好不准回教室！"

甲乙捧着书，清了清嗓子，大声念了起来："一一一，只只只，乌乌乌，鸦鸦鸦，口口口，渴渴渴，了了了……"

甲乙才念了几个字，办公室里的老师们已经笑得前仰后合了。

是三遍哪！

"停！"美美老师哭笑不得，赶紧让这个小捣蛋鬼回教室了。

不爱读课文可真是一件让人发愁的事啊！美美老师左思右想，觉得对付甲乙不能靠批评，一定要靠策略。她绞尽脑汁想啊想,终于想出了一个好办法!

3

课间操的时候, 甲乙意外地收到了美美老师塞给自己的小纸条。

"**真奇怪啊**! 老师也学咱们写纸条。"甲乙兴高采烈地捏着纸条,叫孙大伟一起看。

只见纸条上端端正正地写着一行字:从今天开始,特任命甲乙同学担任咱们班的领读员。好好儿干哟! 老师看好你,希望你能完成这个光荣的任务!

"**哇!**"看完纸条,甲乙和孙大伟一齐叫了起来。

"**太棒了**,我也是班干

部了！"甲乙别提多美啦。

不过孙大伟还是有点儿纳闷儿，他歪着自己的细脖子说："不过甲乙，老师为什么让你当**领读员**呢？"

"当然是因为我课文读得好啦！"甲乙拍着胸脯向孙大伟炫耀，"我刚刚在办公室读课文，读得全办公室的老师都开心得不得了呢！"

"**真的**？**太好啦**！"听甲乙这么一说，孙大伟就明白了，连班长都没把老师读乐过，可见自己的好朋友本领有多大！一想到有这么厉害的同桌，孙大伟立刻觉得更自豪了。

他立刻向甲乙保证说："甲乙你放心，我以后会更大声地读课文！"

4

甲乙成为领读员的消息被美美老师公布后,同学们都觉得有点儿新奇。他们都想看看,这个新领读员有什么大本领!

第二天的早读课,上课铃才响,领读员甲乙就捧着语文书,得意洋洋地走上了讲台。他今天要带大家朗读的课文是一首唐诗——《**望庐山瀑布**》。

"望庐山瀑布,李白。"甲乙大声地念出了题目。

大家捧着书,跟着甲乙齐声朗读:"望庐山瀑布,李白。"

不过,甲乙很快就不那么自信了,因为刚念到第一句,他就出了问题:"日照香……炉生紫,紫烟。"因为甲乙平时从来都没有好好儿读过课文，短短七个字被他读得磕磕巴巴、四分五裂的。

"**日照香炉生紫烟！**"同学们都忍着笑读了起来，他们觉得，甲乙一定是第一次当领读员太紧张了，所以才读得不够好。

结果没想到的是，甲乙根本不是紧张，而是确实读不好。

因为他下一句读得还不如第一句呢。这一下班里面炸开了

他只是今天发挥失常而已！

锅,同学们被甲乙的断句逗得**哈哈大笑**。

5

新领读员甲乙红着脸回到了座位，趴在桌子上再也不想起来了。

孙大伟为了给甲乙报仇，便去找陈可汗"算账"。

"你要是再敢笑甲乙，我们捣蛋二人组就一人一拳,把你**砸成相片**！"

"你敢！"陈可汗才不怕小瘦子孙大伟呢，他挺起胸脯说，"甲乙是领读员，又不是打架大王。他本来读得就不好嘛！"

孙大伟为难了，只好拉着甲乙去向美美老师求助。

美美老师等孙大伟把早读课的事情一说，便立刻安慰甲乙："同学们这样做确实不对，就算读得不够好，也不能笑话你啊！"

"就是就是！"孙大伟看看身边的甲乙，觉得很难过。要知道，平时甲乙的嘴巴就像机关枪一样，一刻也不停，可现在，他已经好半天不说话了。

美美老师拍了拍甲乙的肩膀说："甲乙，不要灰心。其实啊，要想让别人信服你，只要使出真本领就行了。"

"什么真本领？"甲乙低着的头一下子抬了起来，眼神中充满期待。

"这个呀，就要你自己去想了！"美美老师神秘地一笑，还拍了拍桌子上的语文课本。

6

"孙大伟,你说老师说的'**本领**'是什么意思?"吃营养午餐的时候,甲乙嘴里含着一块红烧茄子,嘟嘟囔囔地问孙大伟。

孙大伟咬着筷子头儿若有所思地说:"我觉得,米妮妮会画画儿,李晨会吹小号,还有孙悟空,他很会翻跟头,所以我们都会佩服他们。这些应该就叫本领吧!"

孙大伟这么一说,甲乙总算明白了:"那么,我要是想当好领读员,就必须很会读课文。把朗读变成我的本领?"

我的本领是变变变!

"**没错！**"孙大伟激动得直拍桌子。

"**好，我决定啦！**"甲乙信心十足地咬了一大口馒头，"我一定会练好朗读的本领，否则我就不叫甲乙！"

7

让孙大伟和全班同学没有想到的是，甲乙的朗读本领第二天就练好了。

语文课上，美美老师请领读员带领大家读一篇新课文，这篇课文的名字叫《小蝌蚪找妈妈》。

甲乙信心满满地拿起书走到讲台上，他还没站稳，下面已经传来一片稀稀拉拉的笑声，同学们开始窃窃私语起来。

甲乙一点儿也没受影响，他清了清嗓子，大声念道："池塘里有一群小蝌蚪，大大的脑袋，黑灰色的身子,甩着长长的尾巴,快活地游来游去……"

哇!大家惊奇地发现,甲乙不结巴啦!这么长的一段话,一口气就读下来了!

"**甲乙真棒!**"孙大伟高兴地为甲乙竖起大拇指,小声说着。

精彩不结巴!
读课文,
请认准甲乙牌!

这次的朗读，甲乙不但声音洪亮，诵读流利，而且还带着点儿表演呢！

尤其是在读到那句"**大大的脑袋**"的时候，连班长习丽都有点儿佩服他了，甲乙晃着自己的大脑袋，还真像那么一回事呢！

大家都慢慢坐直了身子，大声地跟着甲乙朗读起来。这次，再也没有人笑话甲乙啦！

一下课，甲乙就成了大明星，被同学们围在了中间。

甲乙有些不好意思地挠挠头："其实，也没什么了不起啦。"

"甲乙，快说说你的秘密，你怎么今天朗读得这么棒啊？"孙大伟向甲乙取经。

"**只有一点！**"甲乙伸出一根手指说，"为了练习朗读本领，昨天写完作业以后，我就开始读新课文，遇到不会的字就查字典，念了三遍后,就一点儿也不结巴啦!"

甲乙停顿一下,继续说:"其实啊,朗读一点儿也不难!以后上课我也可以大声读课文了!"

美美老师躲在教室门口偷偷地乐了。看来,她的这个小办法彻底"治愈"了甲乙不爱朗读的小毛病!

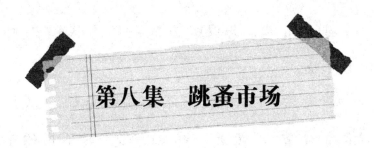

第八集　跳蚤市场

1

临近放学的时候，美美老师对大家说："明天学校要组织一个**跳蚤市场**活动……"

她的话还没说完，甲乙就举手问道："老师，这个市场是卖跳蚤的吗？"

孙大伟揪揪甲乙的衣角，小声地问："跳蚤是啥？"

"跳蚤都不知道？"甲乙**摇头晃脑**地说，"跳蚤是一种会咬人的小虫子，它不仅咬人，还吸人血呢！"

孙大伟想象着像吸血鬼一样的小虫子，吓得直咧嘴。

美美老师笑着说："不是卖跳蚤的，所谓**'跳蚤市场'**，是说大家把自己平时不用的东西，比如说玩具、文具等，拿来出售或者和其他同学进行交换。"

"哦，是这样啊。"甲乙明白了，同学们也都明白了。

要知道，甲乙他们才刚刚上一年级，还是第一次参加这样的大型活动呢！所以，每个人都很期待。

放学回家后，大家都翻箱倒柜地找出自己不用的小玩意儿，准备第二天拿到

学校的跳蚤市场去。

2

今天的校园可真漂亮，操场上飘满了彩旗，讲台上还拉起了大大的横幅，上面写着"**花花园小学跳蚤市场**"。

操场上整齐地摆着几排桌椅，作为每个班级的"售货台"。

甲乙背着鼓鼓囊囊的书包，兴奋地在桌子间穿行，终于找到了自己班的"**地盘**"。

"孙大伟，你来得比我还早啊！"甲乙一眼就看到了孙大伟，一边叫着一边冲他跑了过去。

孙大伟正把一个机器人摆在桌面上。这个机器人看上去有点儿旧了，脑袋上的铁皮帽子都歪了。

"**这么旧的玩具啊，会有人喜欢吗？**"甲乙歪着头看孙大伟带来的各种玩具。

"别看它们旧，都很好玩儿的。"孙大伟摆弄着自己的玩具，问甲乙，"你带的是什么？"

甲乙从书包里掏出了一样样东西，有用来浇花的长颈鹿喷壶，有像自己家大饼一样的加菲猫笔筒，有还没拆封的油画棒……真是五花八门哪！

正当大家忙着把自己的"商品"陈列出来时，校长在主席台上宣布：跳蚤市场开始营业啦！

"大家可以在自己的位置上卖东西，也可以拿着东西去和别人交换……"大喇叭里刚一播报，甲乙就迫不及待地拉着孙大伟，去其他班级的摊位前参观了。

在高年级的摊位上，甲乙一眼就看上了一款非常精致的大飞机模型，连机舱里的仪表盘都能看得一清二楚！

他立刻拿出自己的遥控小汽车问："大哥哥，我能用这个换你的飞机模型吗？"

大哥哥摇了摇头说："这个不换，这个是卖的。"

"**卖的**？"甲乙挠挠头，"**要多少钱？**"

"给五十元好啦。"大哥哥似乎也不确定应该卖多少钱。

五十块钱？虽然觉得飞机模型的确很精美，但甲乙和孙大伟还是被大哥哥的要价给吓跑了。

3

他们来到一群女生的摊位前，女生面前的桌子上摆着**芭比娃娃**、**音乐盒**、草莓发卡……什么都是粉嫩嫩的，简直像一个小花园。

"这些有什么好交换的？"甲乙撇撇嘴。不过他一眼看上了一个狗狗饭盆，立刻跑过去捧了起来。

"孙大伟快来看！"

孙大伟左看右看，问道："你能吃这么大一盆饭吗？"

"**当然不是我呀**。"甲乙敲了孙大伟的脑壳一下，"是我们家的大饼，它的脸太大，用小饭盆吃饭，总会撒得到处都是。"

"哦，"孙大伟点了点头，"所以说还是小瘦子比较讲卫生。"

这次甲乙学聪明了，他先问了问桌子后面的女生："请问，你的东西可以交换吗？"

女生点点头说："当然可以。"

于是甲乙拿出藏在身后的长颈鹿喷壶，说："我想用这个换你的狗狗饭盆。"

"这个水壶的脖子怎么这么长啊？"女生好奇地问。

"长脖子水壶好，可以直接把喷头伸到花盆里，不会洒得到处都是。"甲乙自豪地说，"我妈妈是开小花店的，她用的都是长脖子的喷壶。"

见这个女生还有些犹豫，甲乙又从口袋里掏出一个纸包："再加上这个，郁金香的花种子，两样换一样，你看行不行？"

女生一听，立刻高兴地说了声："**换**！"

成功交换到第一件物品，甲乙这回有经验了。

他和孙大伟在书桌间转来转去，孙大伟用机器人玩具换到了一个火车形状的文具盒，甲乙用一双只穿过一次的雨鞋换到了一个彩色足球，他们还每人用一块香橡皮换到了一包妙脆角。

换到了自己喜欢的东西，甲乙和孙大伟满载而归。他们回到自己班级的"摊位"前，开始等待别人来交换或者购买自己的东西了。

不一会儿，一个二年级的小姐姐就用两个汉语拼音练习本，换走了甲乙的彩色鞋带。

一个六年级的大哥哥用一盒彩笔，换走了孙大伟的超人面具。

眼看着自己带来的东西一样样地换到了称心如意的物品，甲乙高兴得合不拢嘴。

4

学校举办的跳蚤市场可真有趣啊，大家在操场上走来走去，换来换去，买来买去。学校变成了一个热闹的大市场。

这时候，老师们也来凑热闹了。

看到美美老师走到一年级的摊位旁，甲乙连忙大声叫起来：**"美美老师，来买我的书吧，便宜卖啦！"**

美美老师笑眯眯地走过来问："什么书啊？"

甲乙举着一套童话书说："这套书叫《棒棒老

师》，讲的是一个会魔法的、神奇的老师，最适合您看啦！"

"是吗？"美美老师翻了翻甲乙手里的书，随口问道，"好看吗？"

"好看好看，这套书一共有十本，我全读完啦！"甲乙自豪地说，"您看完这本书，说不定也会变魔法了呢！"

美美老师乐了，点点头说："那好吧，这套书我买啦。"

"哇，真棒呀！"这是甲乙卖出的第一件东西。

一本书定价十元，甲乙只卖五元。十本书，就是整整五十元钱呢！

看着美美老师把五十元钱给甲乙，捧走了十本书，孙大伟羡慕地说："甲乙，你变成大富翁了！"

"哈哈，大富翁可以去买自己想买的东西啦。"甲乙拿着五十元的钞票，高兴地跳起来。

5

原来甲乙早就打算好了，如果他带来的东西卖出了好价钱，他就去买自己一眼就看上的飞机模型！

"走，跟我买飞机模型去。"甲乙拉着孙大伟，又朝高年级的摊位跑去。

"希望它没有被别人买走。"甲乙边跑边说。

"不会的。"孙大伟安慰他，"学校里哪有那么多大富翁啊。"

前面就是六年级的摊位了，这时候，甲乙忽然看到主席台的旁边摆着一张老师用的讲桌，上面没有商品，只有一个大大的纸箱子。

纸箱子上写着几个字——爱心捐赠箱，讲桌后面站着的，是大队辅导员和几位老师。

在好奇心的驱使下，甲乙拉着孙大伟转换了方向，来到了这片特殊的区域。

"老师，你们在换什么？"甲乙好奇地问。

"这里不是交换东西的地方。"大队辅导员说。

"那是在卖东西吗？是神秘礼物吗？"孙大伟踮起脚尖，想要看看箱子里究竟是什么。

大队辅导员笑着说："也不是，这里是捐款处。同学们可以把自己卖东西得到的钱款放进这个**爱心捐赠箱**里。"

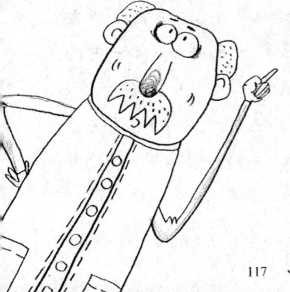

"是捐给流浪小动物保护协会吗？"甲乙最关心的就是小动物。

其中一位老师摇摇头说："是捐

117

给和你们一样大的小学生的。"

奇怪，小学生都有爸爸妈妈，为什么需要别人捐款呢？甲乙有点儿想不明白。

"在贫困山区的希望小学里，有好多孩子和你们不一样，他们连饭都吃不饱呢！"老师耐心地对甲乙和孙大伟说，"在贫困山区里，五十元钱就够一个希望小学的学生一个月的午餐费了！"

"**真的吗?**"甲乙简直不敢相信，"只要五十元钱就够一个学生一个月的午餐费？"

要知道，平时妈妈带自己去快餐店，只要**一个汉堡**、**一杯可乐**、一包薯条再加**一对鸡翅**，就要花五十元钱呢！

"**嗯**，"老师点点头，"希望小学的孩子生活条件很差，有了这五十元钱，他们就能吃一个月的营养午餐，不用再吃家里带来的冷馒头了。"

"冷馒头多难吃啊。"孙大伟小声嘀咕着，"他们可真可怜。"

听老师这么一说，甲乙心里也酸酸的。

哎呀，原来还有这么多和自己一样大的小学生，连午饭都没的吃啊……

想到这里，甲乙用力攥了攥自己手里的五十元钱，心里不禁犹豫起来。

6

那个飞机模型看上去很精致，在商场里买的话要好几百块钱呢！

可是这五十元钱，足够一个贫困地区的小学生吃一个月的营养午餐了！

甲乙都快想破脑袋了,他问孙大伟:"你说,到底该怎么办才好呢?"

孙大伟想了想说:"如果是我,我就不买飞机模型了,因为饿肚子可是很难受的。"

可不,天天吃冷馒头,连火腿肠都没有,这样的午餐也太没营养了。

甲乙终于下定了决心! 他把背在身后的手伸了出来,慢慢摊开,说:"老师,我要捐款。"甲乙的手心里露出一张被他攥湿了的五十元钞票,这是他刚刚卖书得到的"巨款"!

"小同学,你确定要捐款吗?"大队辅导员问甲乙。

甲乙用力地点了点头:"我确定!"

大队辅导员接过甲乙递过来的五十元钱,边询问甲乙的班级、姓名,边拿出了一张红彤彤的"爱心证书",在上面工工整整地写下了甲乙的姓名和捐款数额。

然后，他把这份爱心证书递给甲乙，非常认真地说："甲乙同学，非常感谢你的爱心！"

"不客气！"

甲乙突然觉得自己好开心哪，比买到飞机模型开心多了。捧着这份代表荣誉的"爱心证书"，他的心里像是被灌入了满满的阳光一样，变得暖融融的。

孙大伟在旁边竖起大拇指说："甲乙，你真棒！你现在不仅是大富翁，还是个大好人了。"

　　甲乙不好意思地笑了。

　　他心里想着："今天的跳蚤市场更棒，真希望以后学校每学期都能组织这样的跳蚤市场活动！"

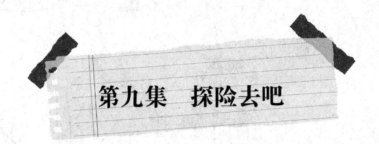

1

大书包，**小手电**，星期天到了，甲乙和米妮妮决定去探险。

"你知道那里有多可怕吗？碎砖头咔嚓响，满地大老鼠，窗户像两个黑洞洞的大眼睛……"甲乙越说声音越低，米妮妮吓得直往后退。

"你以前就住在这样的屋子里吗？"米妮妮觉得甲乙好可怜。

"当然不是，是我们搬家后，来了一些拆房

123

子的人，本来**漂漂亮亮**的房子就变成这样了。"甲乙叹了口气，看上去很难过。

米妮妮明白甲乙的心情，如果有人把她搭的积木宫殿一下子推倒了，她也会很难过的。

两个小孩儿坐在甲乙爸爸的三轮车车斗里，"吱扭、吱扭"来到了猫耳朵胡同。

拆房子的人要找爸爸谈事情，甲乙偏要一起跟来，顺便还带来了米妮妮，一起要来这里进行大探险！

在还没拆的胡同口，甲乙看到了炸油条的婶婶。

"**油条婶婶**，甲乙来看您了，我们要两根最胖的油条。"甲乙拿出妈妈给他的零花钱。

油条婶婶好久不见甲乙了，高兴得手里的大筷子都跳开了舞："真开心呀，大头甲乙是专门来吃油条的吗？"

"不全是，我们要去老房子里进行大探险呢！"甲乙骄傲地说。

"**哦，探险哪**！"油条婶婶故意装出狼外婆的声音，"那可要当心呀，拆了一半的老房子里可能会有咬小孩儿大脚指头的妖怪哟！"

甲乙和米妮妮不怕，他们看着锅里翻跟头的金黄色胖油条，听着它们"刺啦刺啦"地唱歌，口水都快流出来了！

"**油条，就是力量！**"甲乙拿着油条婶婶递给他们的大油条，出发了。

2

"瞧，那就是我家的旧房子！"甲乙用油条当指挥棒，给米妮妮指指前面的一座小房子。接着他把剩下的油条一口塞进嘴里，在油纸袋上擦了擦手，噎得直打嗝。

米妮妮也连忙吃掉手中的油条，擦干净手，小心翼翼地朝小房子靠近。**一步，两步，三步**，他们已经走进拆了一半的房子里了。

甲乙在东翻西翻的时候，米妮妮好奇地打

量着周围，这里也不像甲乙说的那么可怕啊！这个房子虽然已经没有了门和窗，连屋顶都没有，但太阳光可以直接照进来，显得亮堂堂的。几只小鸟站在墙头上唧唧喳喳地唱着歌！

　　"是**大头甲乙**吗？"米妮妮正在参观时，身

后传来了一个声音。

说话的是破烂伯伯,他蹬着辆三轮车,"**吱扭吱扭**"地路过这里。

"破烂伯伯好,您是在破房子里寻宝吗?"甲乙介绍说,"这是我的好朋友米妮妮! "

"那当然,垃圾里面有数不清的宝贝呢!"破烂伯伯哈哈笑的时候, 脸上就会皱起数不清的波浪纹,"那么米妮妮, 你和甲乙来这里干什么呢? "

"**甲乙邀请我来探险!** " **米妮妮**有礼貌地回答。
"**探险要晚上来才好呀!** "

"那可不行,晚上我们就看不到宝贝了!"甲乙说话的时候又翻出了一本图画书。

破烂伯伯脸上又起了波浪, 他摇摇三轮车的铃铛——"**丁零, 丁零**":"希望你们找到更多的宝贝哟! "

"一定能！"甲乙挥舞着图画书，送走了破烂伯伯。

"呀，真简单，图上画的是小木马、布娃娃，还有大苹果……"米妮妮抢过甲乙手里的图画书，哈哈大笑起来："你小时候可真笨，连苹果都不认识！"

甲乙挠挠头，不好意思地说："多亏我现在长大了，不再像小时候一样笨了。"

3

甲乙的爸爸还没有来叫他们，探险行动继续进行！在这座被拆得乱七八糟的小平房里，米妮妮也找到了宝贝。

"**看看看**，我找到了一个手机壳！"米妮妮开心地说着。这个手机壳上面还用小水钻印出了一个米老鼠呢！

甲乙说："我找到的才是**大宝贝**，看，挖土用的小铲子。"

米妮妮一点儿都不落后，她又拿着一样闪闪发光的东西跑过来："甲乙，看我找到的，这是你妈妈的小镜子吗？"

"这个不算什么，看，这是我**爸爸的剃须刀**。虽然它已经坏了，但我们可以把小刀片卸下来。"

两个人就这样找啊找，找到不少有趣的玩意儿！

甲乙拿着刚捡到的一个煤球，在左边的墙

上写了"**我是大王**"四个字。

蹲在右边墙根寻宝的米妮妮连忙提醒他："老师说，不应该在墙上乱写乱画……"米妮妮的话音还没落，甲乙忽然尖叫起来。

"**救命呀，救命呀！**老妖怪吃我的大脚趾了！"

"难怪老师说不能在墙上乱写字，原来是因为有怪物看守啊！"米妮妮赶快去救甲乙。

她跑过去一看，忍不住要笑出声了。什么妖怪呀，只不过是甲乙一脚踩进了石头堆里，被卡住了大脚趾而已。

"原来甲乙大王也怕**吃脚趾的妖怪**啊！"米妮妮帮甲乙搬开那块石头，甲乙的脚趾这才解放了。

"我就知道没有吃脚指头的妖怪，是**油条婶婶**吓唬人呢！"甲乙连忙偷偷抹掉刚才吓出

来的眼泪，"米妮妮你放心，我是男生，接下来轮到我保护你了！"

4

甲乙很快就忘记了刚才的惊险，又带着米妮妮钻进了一间还没来得及拆的小屋子。这个小屋四面都是墙，走进那扇唯一的小门后，就像一下子掉进了墨汁里。

"别怕，只不过是灯泡坏了，这是我家原来储藏东西的杂物间。"甲乙摸啊摸，可惜什么宝贝也没摸到。

"怎么没有闪光的金币呢？"甲乙自言自语地说，"这么黑的房子，**海盗们**也不来藏宝箱吗？"

"金币也要有光亮才能闪光啊，看我的！"米妮妮拧亮了早就准备好的小手电。这下好了，小房子里又有了光亮。

"**看哪，喷水壶！**"甲乙兴奋地叫道，"这是小花店的第一个水壶！"

米妮妮也发现了宝物："哇，好精致的凉亭和假山！一定是摆放在鱼缸里的！"

"**我的孙悟空面具！**"

"这个盒子里还有两个汽车模型呢！"

……

两个人兴高采烈地寻找着宝物，一直到甲乙爸爸来旧房子找他们回家吃午饭时，甲乙和米妮妮才意犹未尽地结束了这次大探险！

他们找到了两本图画书，一个长颈鹿喷壶，一串贝壳手链，瘪了的儿童救生圈，还有很多很多……有多少呢？恐怕三轮车一次都装不下吧！

"下次我们再来寻宝，你害怕吗？"甲乙坐在爸爸的三轮车里问米妮妮。

米妮妮扬起了下巴："你不害怕就好，我可是救过你命的女侠！"

写写你自己的故事